KEYBOARD KLANGWELT

DIE SUPERSOUND-SERIE FÜR PORTABLE TASTENINSTRUMENTE

WEIHNACHTSLIEDER 1

26
NEUE ARRANGEMENTS
BEARBEITUNG:
STEVE BOARDER
ED 7372

SCHOTT

Mainz · London · Madrid · New York · Paris · Tokyo · Toronto

Inhalt

Umschlagfoto: Bildagentur Prenzel-IFA, München

Fröhliche Weihnacht überall

TIPS ZUM SPIELEN:	
Rhythmusgerät: **On** Tempo: **Medium ♩ ca. 150**	
Begleitrhythmus: **Swing**	
Effekte:	
Registrierung: **Organ/Flute**	

MEIN SUPERSOUND:	
Rhythmusgerät:	Tempo:
Begleitrhythmus:	
Effekte:	
Registrierung:	

● Beachte: h wird zu b, Registerwechsel im Vers

2. »Fröhliche Weihnacht überall«...
Licht auf dunklem Wege,
unser Licht bist du;
denn du führst, die dir vertraun,
ein zu sel'ger Ruh'.

3. »Fröhliche Weihnacht überall«...
Was wir andern taten,
sei getan für dich,
daß bekennen jeder muß,
Christkind kam für mich.

O Tannenbaum

TIPS ZUM SPIELEN:
Rhythmusgerät: **Off** Tempo: **Slow ♩ ca. 70**
Begleitrhythmus:
Effekte:
Registrierung: **Brass**

MEIN SUPERSOUND:
Rhythmusgerät: Tempo:
Begleitrhythmus:
Effekte:
Registrierung:

● Beachte: Auftakt, h wird zu b

2. O Tannenbaum, o Tannenbaum,
du kannst mir sehr gefallen.
Wie oft hat doch zur Weihnachtszeit
ein Baum von dir mich hoch erfreut.
O Tannenbaum, o Tannenbaum,
du kannst mir sehr gefallen.

3. O Tannenbaum, o Tannenbaum,
dein Kleid will mich was lehren:
Die Hoffnung und Beständigkeit
gibt Trost und Kraft zu jeder Zeit.
O Tannenbaum, o Tannenbaum,
dein Kleid will mich was lehren.

O du fröhliche, o du selige

TIPS ZUM SPIELEN:
Rhythmusgerät: **Off** Tempo: **Slow ♩ ca. 85**
Begleitrhythmus:
Effekte:
Registrierung: **Strings oder Organ**

MEIN SUPERSOUND:
Rhythmusgerät: Tempo:
Begleitrhythmus:
Effekte:
Registrierung:

● Beachte: Häufige Akkordwechsel

2. O du fröhliche, o du selige,
gnadenbringende Weihnachtszeit!
Christ ist erschienen,
uns zu versühnen:
Freue, freue dich, o Christenheit!

3. O du fröhliche, o du selige,
gnadenbringende Weihnachtszeit!
Himmlische Heere jauchzen dir Ehre:
Freue, freue dich, o Christenheit!

Leise rieselt der Schnee

TIPS ZUM SPIELEN:	
Rhythmusgerät:	**On** Tempo: **Medium ♩ ca. 100**
Begleitrhythmus:	**Waltz**
Effekte:	**Arpeggio**
Registrierung:	**Strings oder Vibes**

MEIN SUPERSOUND:	
Rhythmusgerät:	Tempo:
Begleitrhythmus:	35 V
Effekte:	
Registrierung:	OTP

● Beachte: f wird zu fis, B(♮) ist die internationale Schreibweise für (deutsch) H.

Eduard Ebel

2. In den Herzen ist's warm,
still schweigt Kummer und Harm,
Sorge des Lebens verhallt:
Freue dich, Christkind kommt bald!

3. Bald ist heilige Nacht,
Chor der Engel erwacht,
hört nur, wie lieblich es schallt:
Freue dich, Christkind kommt bald!

Es ist für uns eine Zeit angekommen

TIPS ZUM SPIELEN:	
Rhythmusgerät:	**On** Tempo: **Slow/Medium ♩ ca. 100**
Begleitrhythmus:	**8Beat**
Effekte:	
Registrierung:	**Strings/Flute**

MEIN SUPERSOUND:	
Rhythmusgerät:	Tempo:
Begleitrhythmus:	
Effekte:	
Registrierung:	

● Beachte: h wird zu b, Wiederholungszeichen, Auftakt (Rhythmusgerät auf Synchro Start)

2. In der Krippe muß er liegen,
und wenn's der härteste Felsen wär':
Zwischen Ochs' und Eselein
liegst du, armes Jesulein.

3. Drei König' kamen, ihn zu suchen,
der Stern führt' sie nach Bethlehem.
Kron' und Zepter legten sie ab,
brachten ihm ihre reiche Gab'.

Alle Jahre wieder

TIPS ZUM SPIELEN:	
Rhythmusgerät: **On**	Tempo: **Medium ♩ ca. 100**
Begleitrhythmus:	**8Beat**
Effekte:	**Arpeggio**
Registrierung:	**Strings**

MEIN SUPERSOUND:	
Rhythmusgerät:	Tempo:
Begleitrhythmus:	
Effekte:	
Registrierung:	

● Beachte: Fingerübersatz im Takt 1/2 und Takt 7

Melodie: Friedrich Silcher

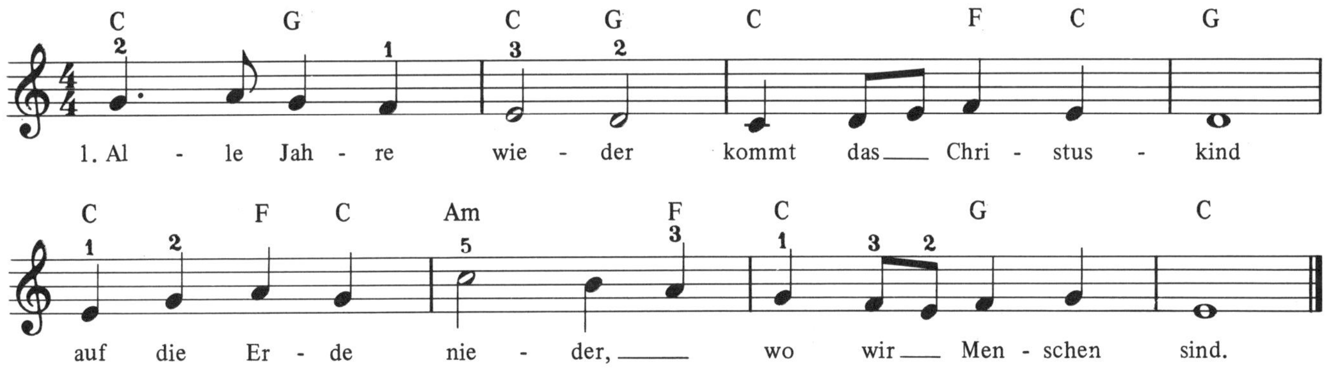

2. Kehrt mit seinem Segen ein in jedes Haus,
geht auf allen Wegen mit uns ein und aus.

3. Steht auch mir zur Seite still und unerkannt,
daß es treu mich leite an der lieben Hand.

Laßt uns froh und munter sein

TIPS ZUM SPIELEN:	
Rhythmusgerät: **On**	Tempo: **Medium ♩ ca. 137**
Begleitrhythmus:	**Swing/Easy Rock**
Effekte:	
Registrierung:	**Brass oder Clarinet**

MEIN SUPERSOUND:	
Rhythmusgerät:	Tempo:
Begleitrhythmus:	
Effekte:	
Registrierung:	

● Beachte: Fingeruntersatz im Takt 5

2. Dann stell' ich den Teller auf,
Nik'laus legt gewiß was drauf.
Lustig, lustig . . .

3. Wenn ich schlaf', dann träume ich,
jetzt bringt Nik'laus was für mich.
Lustig, lustig . . .

4. Wenn ich aufgestanden bin,
lauf' ich schnell zum Teller hin.
Lustig, lustig . . .

5. Nik'laus ist ein guter Mann,
dem man nicht genug danken kann.
Lustig, lustig . . .

Morgen kommt der Weihnachtsmann

TIPS ZUM SPIELEN:	
Rhythmusgerät: **On**	Tempo: **Medium ♩ ca. 160**
Begleitrhythmus:	**Swing**
Effekte:	**Sustain**
Registrierung:	**Piano oder Harpsichord**

MEIN SUPERSOUND:	
Rhythmusgerät:	Tempo:
Begleitrhythmus:	
Effekte:	
Registrierung:	

● Beachte: h wird zu b

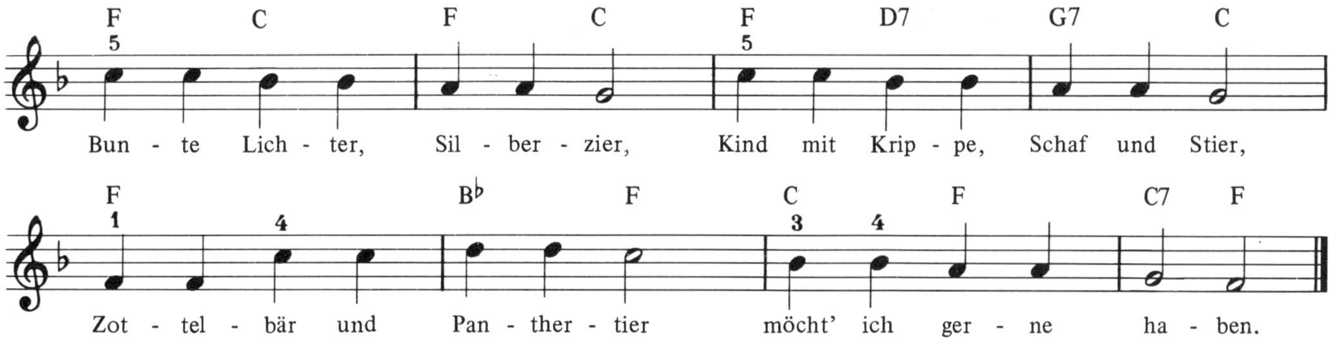

2. Bring uns, lieber Weihnachtsmann,
bring auch morgen, bringe
eine schöne Eisenbahn,
Bauernhof mit Huhn und Hahn,
einen Pfefferkuchenmann,
lauter schöne Dinge

3. Doch du weißt ja unsern Wunsch,
kennst ja unsre Herzen.
Kinder, Vater und Mama,
auch sogar der Großpapa,
alle, alle sind wir da,
warten dein mit Schmerzen.

Textfassung der Strophen 1 und 2: Hilger Schallehn

Morgen, Kinder, wird's was geben

TIPS ZUM SPIELEN:	
Rhythmusgerät:	**On** Tempo: **Medium ♩ ca. 130**
Begleitrhythmus:	**Swing/8Beat**
Effekte:	**Sustain**
Registrierung:	**Guitar oder Vibes**

MEIN SUPERSOUND:	
Rhythmusgerät:	Tempo:
Begleitrhythmus:	
Effekte:	
Registrierung:	

● Beachte: h wird zu b

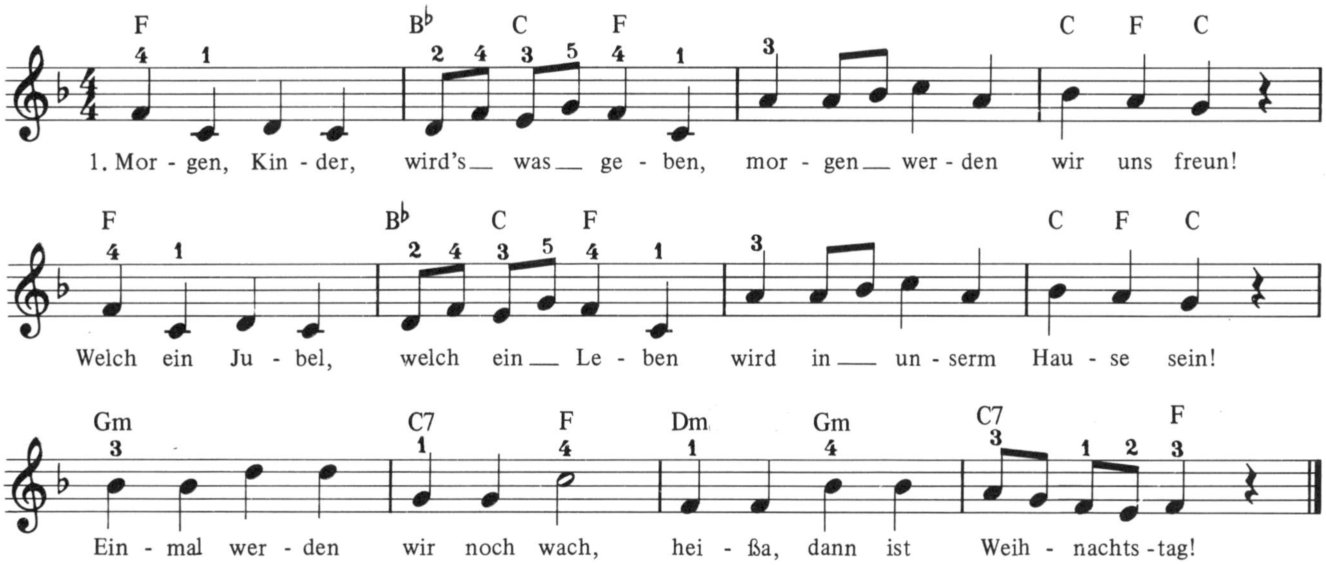

2. Wie wird dann die Stube glänzen
von der großen Lichterzahl!
Schöner als bei frohen Tänzen
ein geputzter Kronensaal.
Wißt ihr noch, wie vor'ges Jahr
es am Heil'gen Abend war?

3. Welch ein schöner Tag ist morgen!
Viele Freunde hoffen wir;
unsre lieben Eltern sorgen
lange, lange schon dafür.
O gewiß, wer sie nicht ehrt,
ist der ganzen Lust nicht wert.

Jingle Bells!

TIPS ZUM SPIELEN:	
Rhythmusgerät: **On**	Tempo: **Medium/Fast ♩ ca. 160**
Begleitrhythmus:	**Swing**
Effekte:	**Sustain**
Registrierung:	**Vibes**

MEIN SUPERSOUND:	
Rhythmusgerät:	Tempo:
Begleitrhythmus:	
Effekte:	
Registrierung:	

Deutscher Text: Kurt Feltz

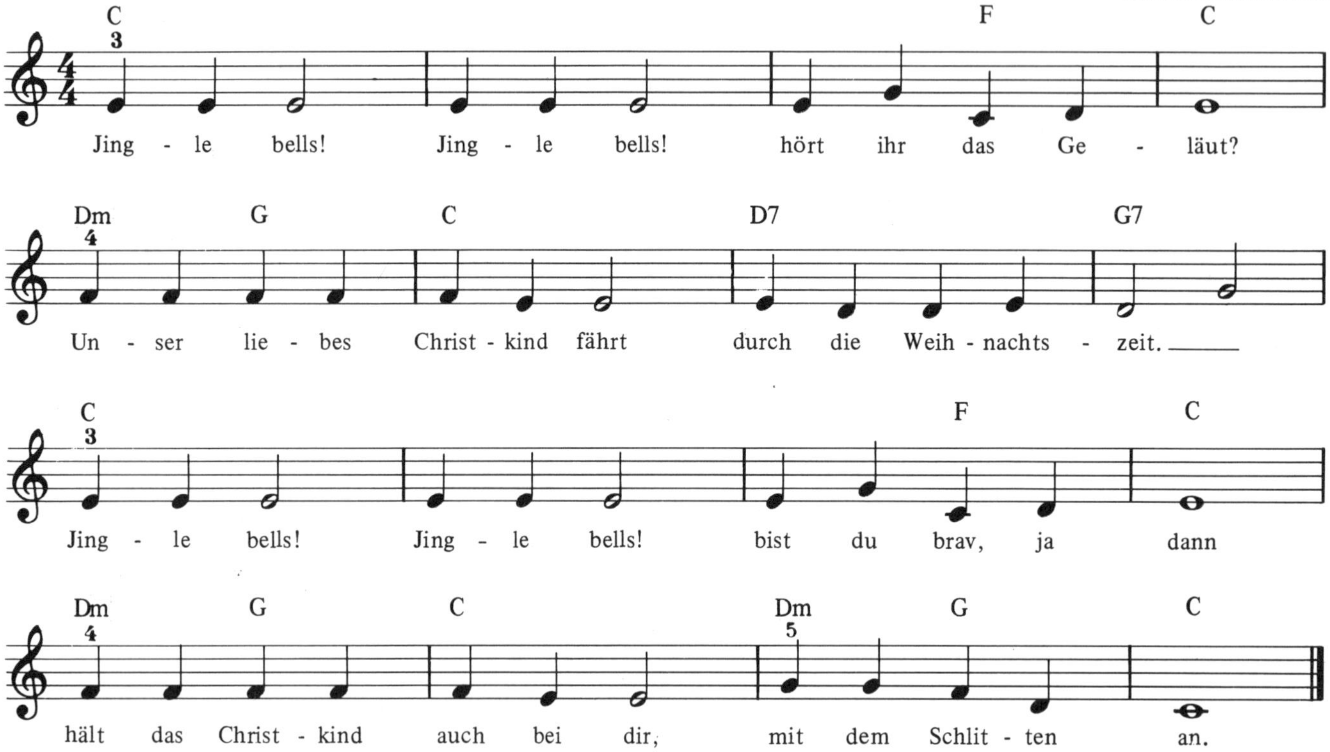

Es wird schon gleich dunkel

TIPS ZUM SPIELEN:	
Rhythmusgerät: **On** Tempo: **Slow ♩ ca. 100**	
Begleitrhythmus: **Waltz**	
Effekte:	**Arpeggio, Schlagzeug ausblenden**
Registrierung:	**Flute/Strings**

MEIN SUPERSOUND:	
Rhythmusgerät:	Tempo:
Begleitrhythmus:	
Effekte:	
Registrierung:	

● Beachte: f wird zu fis, Auftakt (Rhythmusgerät auf Synchro Start)

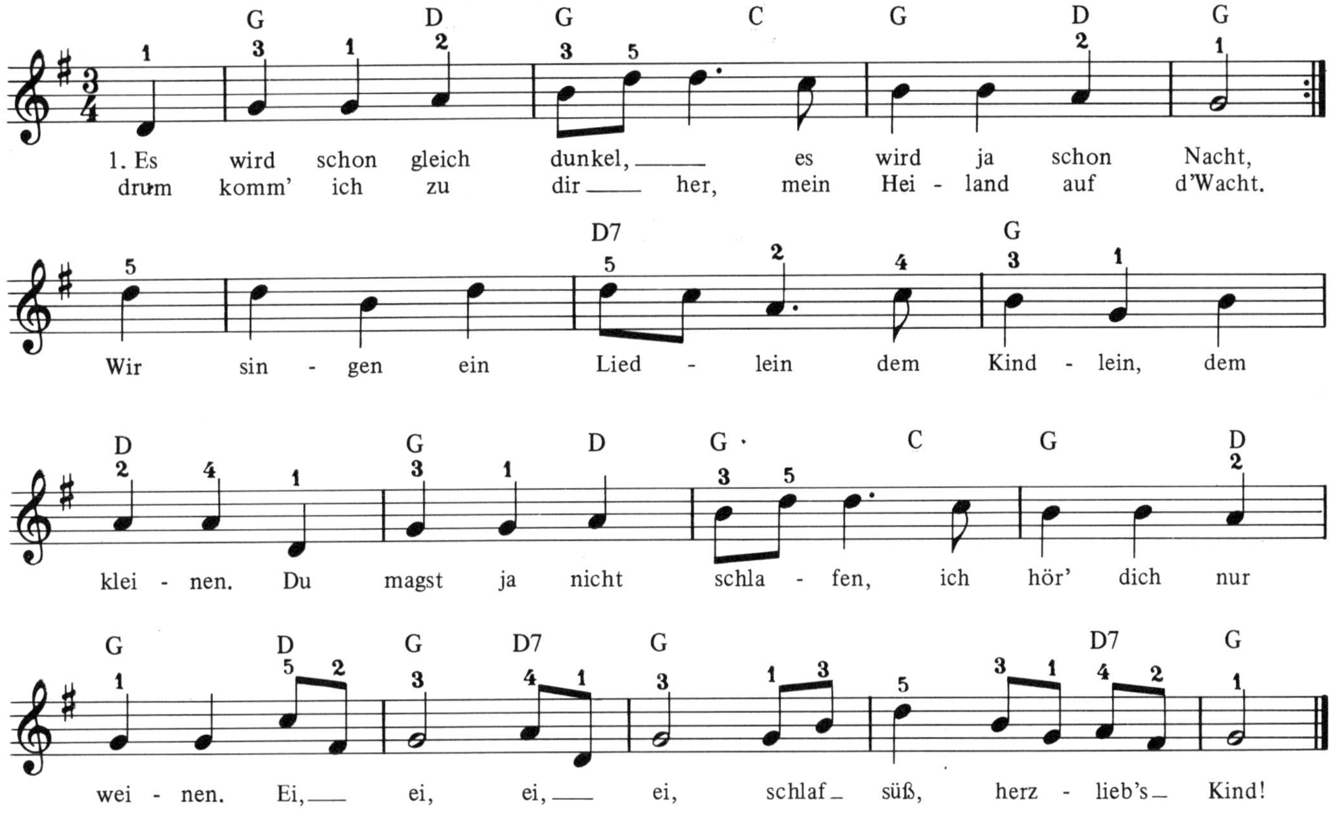

2. Vergiß jetzt, o Kindlein, dein' Kummer, dein Leid,
daß du da mußt leiden im Stall auf der Heid'.
Es zier'n ja die Engel dein Krippelein aus,
möcht' schöner nicht sein in dem vornehmsten Haus.
Ei, ei, ei, ei, schlaf süß, herzlieb's Kind.

3. O Kindlein, du liegst dort im Kripplein so schön;
mir scheint, ich kann niemals von dir dort weggehn.
Ich wünsch' dir von Herzen die süßeste Ruh';
die Engel vom Himmel, die decken dich zu.
Ei, ei, ei, ei, schlaf süß, du schön's Kind.

4. Schließ zu deine Äuglein in Ruh' und in Fried'
und gib mir zum Abschied dein' Segen nur mit.
Dann wird auch mein Schlafen ganz sorgenlos sein,
dann kann ich mich ruhig auf's Niederleg'n freun.
Ei, ei, ei, ei, schlaf süß, herzlieb's Kind.

Zu Bethlehem geboren

TIPS ZUM SPIELEN:	
Rhythmusgerät: **On**	Tempo: **Slow ♩ ca. 100**
Begleitrhythmus:	**March/Rhumba**
Effekte:	
Registrierung:	**Flute oder Clarinet**

MEIN SUPERSOUND:	
Rhythmusgerät:	Tempo:
Begleitrhythmus:	
Effekte:	
Registrierung:	

● Beachte: h wird zu b, Auftakt (Rhythmusgerät auf Synchro Start)

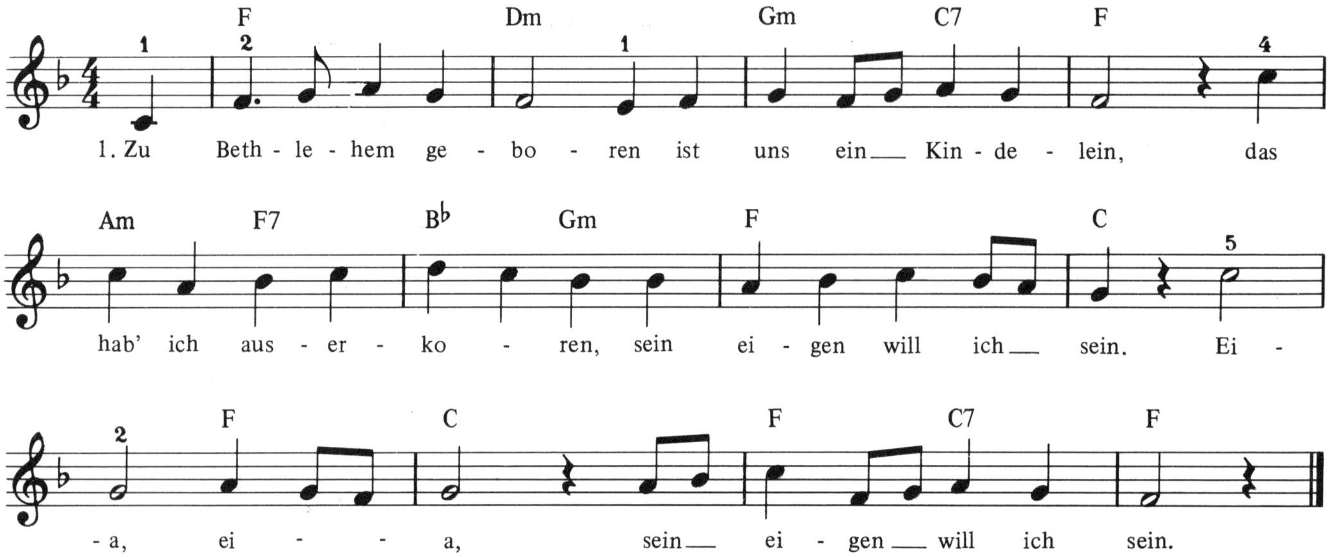

2. In seine Lieb' versenken
will ich mich ganz hinab;
mein Herz will ich ihm schenken
und alles, was ich hab',
eia, eia, und alles, was ich hab'.

3. O Kindelein, von Herzen
will ich dich lieben sehr,
in Freuden und in Schmerzen
je länger und je mehr,
eia, eia, je länger und je mehr.

O laufet, ihr Hirten

TIPS ZUM SPIELEN:	
Rhythmusgerät: **On**	Tempo: **Medium ♩ ca. 110**
Begleitrhythmus:	**Waltz**
Effekte:	**Arpeggio**
Registrierung:	**Flute**

MEIN SUPERSOUND:	
Rhythmusgerät:	Tempo:
Begleitrhythmus:	
Effekte:	
Registrierung:	

● Beachte: f wird zu fis, Auftakt (Rhythmusgerät auf Synchro Start)

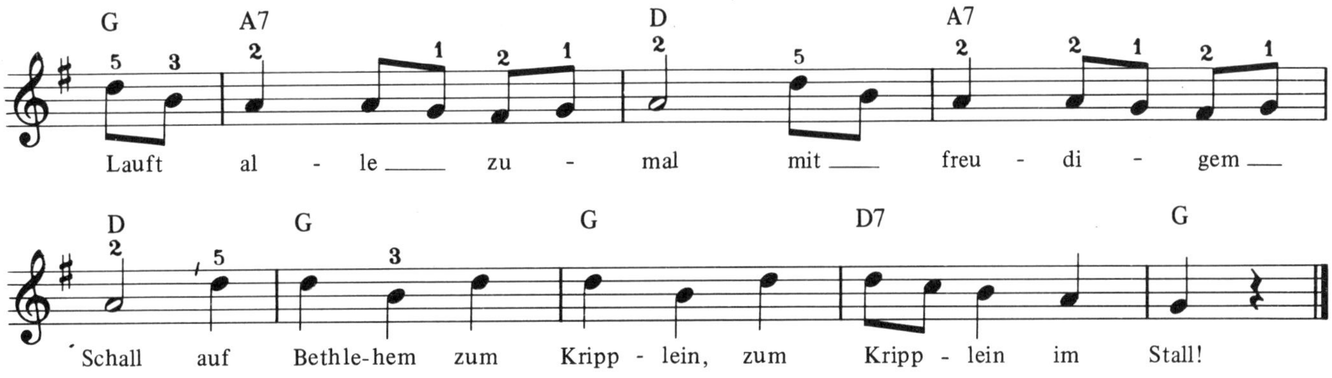

2. Ein Kindlein ist gesehen wie ein Engel so schön,
dabei auch ein alter Vater tut stehn;
eine Jungfrau schön zart nach englischer Art:
Es hat mich erbarmet ganz inniglich hart.

Kommet, ihr Hirten

TIPS ZUM SPIELEN:	
Rhythmusgerät: **On**	Tempo: **Medium/Slow ♩ ca. 90**
Begleitrhythmus: **Waltz**	
Effekte: **Sustain**	
Registrierung: **Vibes/Clarinet**	

MEIN SUPERSOUND:	
Rhythmusgerät:	Tempo:
Begleitrhythmus:	
Effekte:	
Registrierung:	

● Beachte: h wird zu b

2. Lasset uns sehen in Bethlehems Stall,
was uns verheißen der himmlische Schall.
Was wir dort finden, lasset uns künden,
lasset uns preisen in frommen Weisen:
Halleluja

3. Wahrlich, die Engel verkündigen heut'
Bethlehems Hirtenvolk gar große Freud'.
Nun soll es werden Friede auf Erden,
den Menschen allen ein Wohlgefallen:
Ehre sei Gott.

Herbei, o ihr Gläubigen

TIPS ZUM SPIELEN:	
Rhythmusgerät: **Off** Tempo: **Slow ♩ ca. 50**	
Begleitrhythmus:	
Effekte:	**Duet**
Registrierung:	**Organ oder Brass**

MEIN SUPERSOUND:	
Rhythmusgerät:	Tempo:
Begleitrhythmus:	
Effekte:	
Registrierung:	

● Beachte: f wird zu fis, Auftakt

2. Du König der Ehren,
Herrscher der Heerscharen
verschmähst nicht, zu ruhen in Mariens Schoß.
Gott, wahrer Gott, von Ewigkeit geboren!
O lasset uns anbeten, o lasset uns anbeten,
o lasset uns anbeten den König.

3. Kommt, singet dem Herren,
o ihr Engelchöre,
frohlocket, frohlocket, ihr Seligen:
Ehre sei Gott im Himmel und auf Erden!
O lasset uns anbeten, o lasset uns anbeten,
o lasset uns anbeten den König.

Still, still, still, weil's Kindlein schlafen will!

TIPS ZUM SPIELEN:	
Rhythmusgerät: **On** Tempo: **Slow ♩ ca. 100**	
Begleitrhythmus:	**8Beat**
Effekte:	**Sustain/Arpeggio**
Registrierung:	**Strings/Flute**

MEIN SUPERSOUND:	
Rhythmusgerät:	Tempo:
Begleitrhythmus:	
Effekte:	
Registrierung:	

● Beachte: h wird zu b

2. Schlaf, schlaf, schlaf, mein liebes Kindlein schlaf!
Die Engel tun schön musizieren,
vor dem Kindlein jubilieren.
Schlaf, schlaf, schlaf, mein liebes Kindlein schlaf!

3. Groß, groß, groß, die Lieb' ist übergroß.
Gott hat den Himmelsthron verlassen
und muß reisen auf der Straßen.
Groß, groß, groß, die Lieb' ist übergroß.

Laßt uns das Kindlein wiegen

TIPS ZUM SPIELEN:	
Rhythmusgerät: **On** Tempo: **Slow ♩ ca. 110**	
Begleitrhythmus:	**Country Waltz**
Effekte:	
Registrierung:	**Organ/Guitar**

MEIN SUPERSOUND:	
Rhythmusgerät:	Tempo:
Begleitrhythmus:	
Effekte:	
Registrierung:	

● Beachte: h wird zu b, Auftakt, Fingeruntersatz Takt 9 und 11

2. Laßt uns dem Kindlein singen,
ihm unsre Opfer bringen,
ihm alle Ehr' beweisen
mit Loben und mit Preisen!
O Jesulein süß!

Auf dem Berge, da gehet der Wind

TIPS ZUM SPIELEN:	
Rhythmusgerät: **On**	Tempo: **Medium ♩ ca. 130**
Begleitrhythmus: **Waltz**	
Effekte:	
Registrierung: **Flute oder Clarinet**	

MEIN SUPERSOUND:	
Rhythmusgerät:	Tempo:
Begleitrhythmus:	
Effekte:	
Registrierung:	

● Beachte: f wird zu fis, Auftakt

Inmitten der Nacht

TIPS ZUM SPIELEN:	
Rhythmusgerät: **On**	Tempo: **Slow/Medium ♩ ca. 90**
Begleitrhythmus:	**Waltz**
Effekte:	**Schlagzeug ausblenden/Arpeggio**
Registrierung:	**Flute**

MEIN SUPERSOUND:	
Rhythmusgerät:	Tempo:
Begleitrhythmus:	
Effekte:	
Registrierung:	

● Beachte: h wird zu b, Auftakt (Rhythmusgerät auf Synchro Start)

2. Die Hirten im Feld
verließen ihr Zelt.
Sie konnten kaum schnaufen
vor Rennen und Laufen,
der Hirt und der Bu',
dem Krippelein zu.

3. Ihr Brüder kommt 'raus,
wir wollen nach Haus!
Kommt alle, wir wollen
dem Kindlein was holen.
Kommt einer hierher,
so kommt er nicht leer.

Vom Himmel hoch, o Englein kommt

TIPS ZUM SPIELEN:	
Rhythmusgerät: **On**	Tempo: **Medium/Slow ♩ ca. 120**
Begleitrhythmus:	**Waltz**
Effekte:	**Arpeggio, Schlagzeug ausblenden**
Registrierung:	**Strings**

MEIN SUPERSOUND:	
Rhythmusgerät:	Tempo:
Begleitrhythmus:	
Effekte:	
Registrierung:	

● Beachte: h wird zu b, Auftakt (Rhythmusgerät auf Synchro Start)

2. Kommt ohne Instrumenten nit,
bringt Lauten, Harfen, Geigen mit!

3. Laßt hören euer Stimmen viel
mit Orgel und mit Saitenspiel!

4. Hier muß die Musik himmlisch sein,
weil dies ein himmlisch' Kindelein.

5. Sing Fried' den Menschen weit und breit,
Gott Preis und Ehr' in Ewigkeit.

Macht hoch die Tür'

TIPS ZUM SPIELEN:	
Rhythmusgerät: **On** Tempo: **Medium ♩ ca. 100**	
Begleitrhythmus: **Waltz**	
Effekte:	
Registrierung: **Pipe Organ/Strings**	

MEIN SUPERSOUND:	
Rhythmusgerät:	Tempo:
Begleitrhythmus:	
Effekte:	
Registrierung:	

● Beachte: h wird zu b, Auftakt

2. Er ist gerecht, ein Helfer wert,
Sanftmütigkeit ist sein Gefährt',
sein Königskron' ist Heiligkeit,
sein Zepter ist Barmherzigkeit;
all' unsre Not zum End' er bringt,
derhalben jauchzt, mit Freuden singt:
Gelobet sei mein Gott,
mein Heiland, groß von Tat.

3. O wohl dem Land, o wohl der Stadt,
so diesen König bei sich hat!
Wohl allen Herzen insgemein,
da dieser König ziehet ein!
Er ist die rechte Freudensonn',
bringt mit sich lauter Freud' und Wonn'.
Gelobet sei mein Gott,
mein Tröster früh und spat.

Lobt Gott, ihr Christen, alle gleich

TIPS ZUM SPIELEN:	
Rhythmusgerät: **Off** Tempo: **Medium/Slow ♩ ca. 80**	
Begleitrhythmus:	
Effekte:	
Registrierung: **Organ oder Strings**	

MEIN SUPERSOUND:	
Rhythmusgerät:	Tempo:
Begleitrhythmus:	
Effekte:	
Registrierung:	

● Beachte: h wird zu b, Auftakt

2. Er kommt aus seines Vaters Schoß
und wird ein Kindlein klein,
er liegt dort elend, nackt und bloß
in einem Krippelein.

3. Er äußert sich all' seiner G'walt,
wird niedrig und gering
und nimmt an sich ein's Knechts Gestalt,
der Schöpfer aller Ding'.

4. Heut' schleußt er wieder auf die Tür
zum schönen Paradeis:
der Cherub steht nicht mehr dafür,
Gott sei Lob, Ehr' und Preis!

Es ist ein Ros' entsprungen

TIPS ZUM SPIELEN:	
Rhythmusgerät: **Off**	Tempo: **Medium/Slow ♩ ca. 70**
Begleitrhythmus:	
Effekte:	**Sustain**
Registrierung:	**Flute oder Organ**

MEIN SUPERSOUND:	
Rhythmusgerät:	Tempo:
Begleitrhythmus:	
Effekte:	
Registrierung:	

● Beachte: h wird zu b

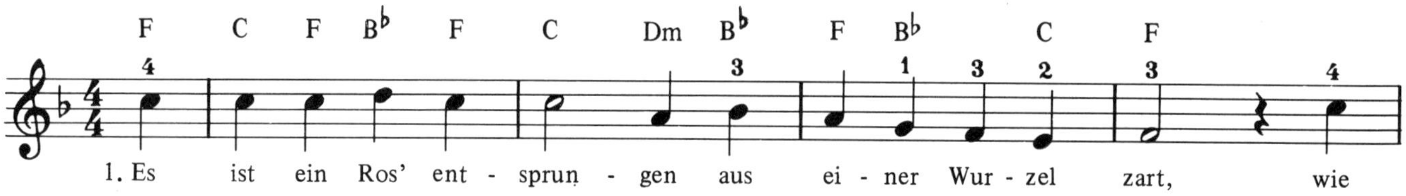

2. Das Röslein, das ich meine,
davon Jesaja sagt,
hat uns gebracht alleine
Marie, die reine Magd;
aus Gottes ew'gem Rat
hat sie ein Kind geboren
wohl zu der halben Nacht.

3. Das Blümelein so kleine,
das duftet uns so süß;
mit seinem hellen Scheine
vertreibt's die Finsternis:
Wahr' Mensch und wahrer Gott,
hilft uns aus allem Leide,
rettet von Sünd' und Tod.

Joseph, lieber Joseph mein

TIPS ZUM SPIELEN:	
Rhythmusgerät: **On**	Tempo: **Medium ♩ ca. 150**
Begleitrhythmus:	**Waltz**
Effekte:	**Sustain**
Registrierung:	**Piano oder Harpsichord**

MEIN SUPERSOUND:	
Rhythmusgerät:	Tempo:
Begleitrhythmus:	
Effekte:	
Registrierung:	

● Beachte: h wird zu b

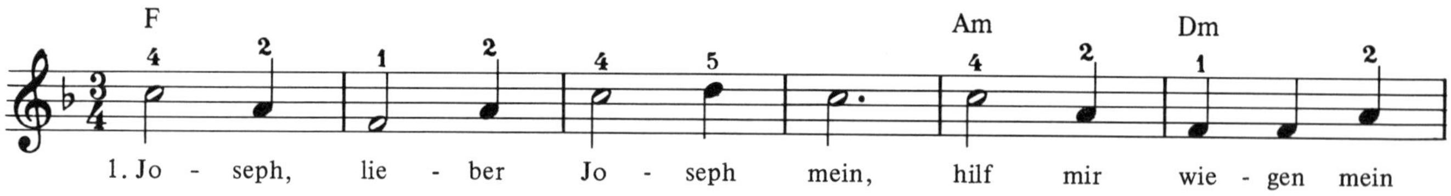

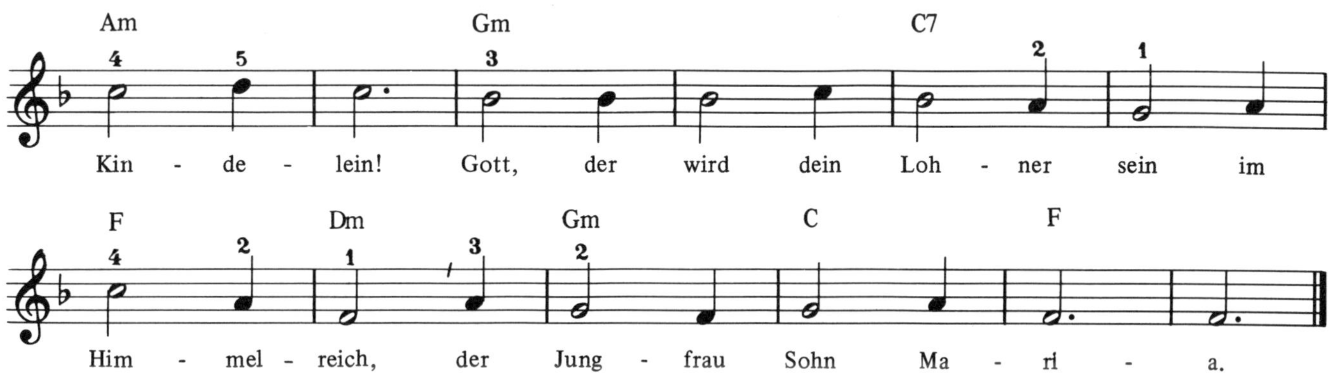

2. Gerne, liebe Muhme mein,
helf' ich dir wiegen dein Kindelein!
Gott, der wird mein Lohner sein
im Himmelreich,
der Jungfrau Kind, Maria.

3. Freu dich nun, du christlich' Schar!
Gott, der Himmelskönig klar,
macht uns Menschen offenbar,
den uns gebar
die reine Magd Maria.

Hochdeutsche Textfassung: Hilger Schallehn

Vom Himmel hoch, da komm ich her

TIPS ZUM SPIELEN:
Rhythmusgerät: **Off** Tempo: **Slow ♩ ca. 75**
Begleitrhythmus:
Effekte:
Registrierung: **Pipe Organ/Trumpet**

MEIN SUPERSOUND:
Rhythmusgerät: Tempo:
Begleitrhythmus:
Effekte:
Registrierung:

● Beachte: Auftakt, häufige Akkordwechsel

2. Euch ist ein Kindlein heut' geborn
von einer Jungfrau, auserkorn;
das Kindelein so zart und fein,
das soll eu'r Freud' und Wonne sein.

3. Es ist der Herr Christ unser Gott,
der will euch führn aus aller Not,
er will eu'r Heiland selber sein,
von allen Sünden machen rein.

4. Er bringt euch alle Seligkeit,
die Gott, der Vater, hat bereit',
daß ihr mit uns im Himmelreich
sollt leben nun und ewiglich.

Ich steh' an deiner Krippe hier

TIPS ZUM SPIELEN:
Rhythmusgerät: **Off** Tempo: **Slow ♩ ca. 70**
Begleitrhythmus:
Effekte:
Registrierung: **Pipe Organ**

MEIN SUPERSOUND:
Rhythmusgerät: Tempo:
Begleitrhythmus:
Effekte:
Registrierung:

● Beachte: Auftakt, Wiederholungszeichen

2. Da ich noch nicht geboren war,
da bist du mir geboren
und hast dich mir zu eigen gar,
eh' ich dich kannt', erkoren.
Eh' ich durch deine Hand gemacht,
da hast du schon bei dir bedacht,
wie du mein wolltest werden.

3. Ich sehe dich mit Freuden an
und kann mich nicht satt sehen;
und weil ich nun nichts weiter kann,
bleib' ich anbetend stehen.
O daß mein Sinn ein Abgrund wär'
und meine Seel' ein weites Meer,
daß ich dich möchte fassen.

Verlag: B. Schott's Söhne, Mainz 45 872